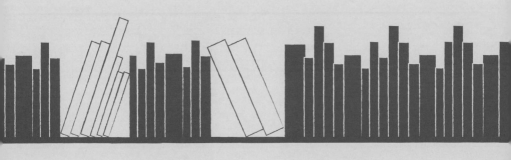

JN113041

仕事に行ってきます ❿

図書館の仕事

祥弘さんの1日

この本の　主人公は、岩添祥弘さんです。
仕事場は、図書館です。
どんな　仕事なのでしょうか。
いっしょに、祥弘さんの　1日を
見てみましょう。

よしひろ

しごと

としょかん

2

これが、祥弘さんの 1日です。

時刻	予定
午前6時30分	起きる
午前7時20分	家を出る
午前8時30分	仕事をはじめる
午前12時	昼休けい
午後5時	仕事を終える
午後6時25分	家に帰る
午後11時	ねる

「10万歩の男」

とよばれる 祥弘さん。

午前6時30分

祥弘さんは 通勤で、
そして 仕事場でも、よく 歩きます。

だから、仕事場の 仲間に
「10万歩の男」と よばれています。

たくさん 歩くので、
体を強くするために、
「プロテイン入りの豆乳」を
毎朝 飲みます。
プロテインは きん肉のもと
になります。

あさ

よしひろ

のむ

とうにゅう

5

<ruby>午前<rt>ごぜん</rt></ruby><ruby>6時<rt>じ</rt></ruby><ruby>40分<rt>ぷん</rt></ruby>

<ruby>祥弘<rt>よし ひろ</rt></ruby>さんは 10<ruby>年前<rt>ねん まえ</rt></ruby>から

ひとりぐらしを しています。

<ruby>朝<rt>あさ</rt></ruby>ごはんは、いつも<ruby>同<rt>おな</rt></ruby>じ。

パン2こと チーズです。

よしひろ

たべる

パン

6

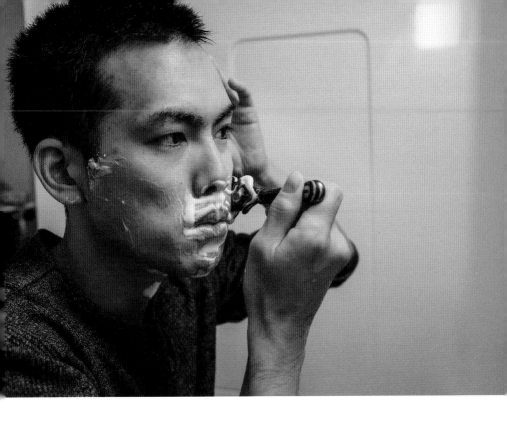

ジャリジャリと ヒゲをそり、
ゴシゴシと 歯をみがいたら、
いよいよ、仕事に 出かけます。

よしひろ　　ひげそり　　はみがき

午前7時20分
<small>ごぜん　じ　ぷん</small>

家から　近くの駅までは
<small>いえ　　　　ちか　　えき</small>
20分ちょっと　かかります。
<small>ぷん</small>
スイスイ　歩きます。
<small>ある</small>

よしひろ

いく

えき

駅に 着きました。
駅前の シンボルは、
マンガ『こちら葛飾区亀有公園前派出所』
の主人公、両津勘吉です。
ここから 電車に乗ります。

よしひろ

つく

えき

電車をおりたら、図書館までは
また20分 かかります。
グングン 歩きます。

よしひろ

いく

としょかん

午前8時15分

赤レンガの 図書館に 着きました。
北区立中央図書館です。
ここが、祥弘さんの 仕事場です。

よしひろ

つく

としょかん

「おはようございます」と、祥弘さん。
上司の 川橋重之さんに あいさつをしました。

よしひろ

あさ

あいさつ

かわはし

午前8時30分

ユニフォームに　着がえて、朝礼です。
図書館の仕事には、利用者からは　見えない
作業が　たくさん　あります。
祥弘さんは、4つの作業を

まかされています。

よしひろ

あさ

あいさつ

なかま

午前8時35分

今日 最初の作業は、『返却本の点検』です。

貸し出しされていた本が 図書館に
たくさん もどってきました。

ほん

もどる

としょかん

祥弘さんは もどってきた本を 点検します。
本を借りた人の 大切な わすれ物が

はさまっていないか、かくにんします。
よかった、わすれ物は ありませんでした。

よしひろ

かくにん

ほん

9時です。
図書館が 開館しました。

祥弘さんは、2つめの作業
『配架』に かかります。
点検がすんだ本を
本だなに
もどしに 行きます。

としょかん

ひらく

図書館の本には　番号が　ついています。

それを見れば、どの本だなに

もどせばいいか　わかります。

よしひろ

もどす

ほん

ほんだな

利用者が 本を えらんでいました。

じゃまを しないように、

少し はなれて 待ちます。

よしひろ

まつ

しばらく 待って、
本だなに もどすことが できました。
祥弘さんは 館内を 動きまわって
次々と 本を もどします。

よしひろ

もどす

ほん

ほんだな

午前12時

昼ごはんの 時間に なりました。
いつも、川橋さんや 仲間と
いっしょに 食べます。

よしひろ

かわはし

なかま

たべる

ごはん

午前12時20分

川橋さんに さそわれて、
3人で 図書館の前の
公園に 行きました。
いい天気です。
風もなく、あたたかい日ざし。

よしひろ

かわはし

なかま

いく

こうえん

午後1時

昼ごはんの　時間が　終わりました。
午後からは、3つめの作業、
『予約本の回収』です。
予約の　入っている本を　本だなに
取りに行きます。

よしひろ

とる

ほん

ほんだな

24

紙に書いてある　番号を　見ながら
本を　取りに行っては　もどる。
これを　何回も　くり返します。

よしひろ

とる

ほん

ほんだな

くりかえし

何回 くり返しても、祥弘さんの
ペースは かわりません。

よしひろ

げんき

しごと

ずっと 同じ作業のように 見えますが、
祥弘さんは この作業が いやでは ありません。

ひとりで もくもくとできて、
たくさんの 本を 知ることが できるからです。

よしひろ

すき

しごと

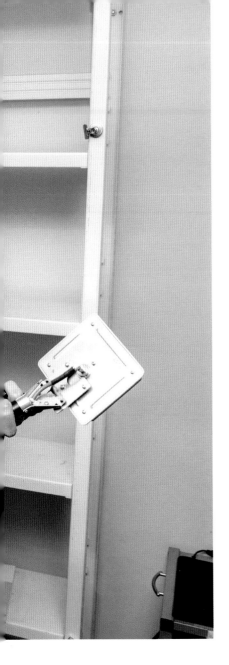

今日 最後の作業は、
『蔵書点検』です。
本が きちんと 本だなに
おかれているか、点検します。
祥弘さんは、
点検のための 機械を 持って、
館内に 向かいます。

よしひろ

かくにん

ほんだな

29

本だなの前に 立ちました。
今から、点検を はじめます。

機械を、本に近づけて、左右に 動かします。

よしひろ

かくにん

ほんだな

ピッピピッピと 音がしたら、
ちゃんと情報を 読み取れている サインです。
後で パソコンで、かくにんします。

ぶじに 『蔵書点検』が 終わりました。

よしひろ

かくにん

ほんだな

おわり

祥弘さんは 利用者に
「すみません」と 声をかけられました。
本のある場所を 聞かれました。

りようしゃ

はなす

よしひろ

祥弘さんは「はい、こちらへ」と
利用者を　案内しました。

「ありがとう」と　言われて
祥弘さんは、うれしくなりました。

よしひろ　　しあわせ

祥弘さんは 図書館の仕事が 好きです。
大好きな 図書館に ずっと いられるからです。
図書館が 好きになったのは、小学生の時でした。

よしひろ　　すき　　としょかん

祥弘さんは 高校生になって
教室のみんなと、なじめなくなりました。
休み時間は、図書館に行って

ひとりで すごすことが ふえました。

よしひろ

かなしい

がっこう

図書館の 司書さんが、

いつでも いらっしゃいと 言ってくれました。

勉強も 教えてくれました。

ししょ

たすける

よしひろ

本のにおい、図書館のにおいが、
大好きになりました。

よしひろ

すき

としょかん

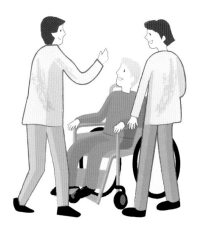
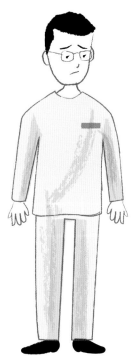

<ruby>大<rt>おとな</rt></ruby>人になって、

いろいろな<ruby>仕<rt>し</rt></ruby><ruby>事<rt>ごと</rt></ruby>に つきました。

でも、なかなか つづきません。

<ruby>仕<rt>し</rt></ruby><ruby>事<rt>ごと</rt></ruby><ruby>場<rt>ば</rt></ruby>のみんなと なじめずに、つらい<ruby>時<rt>とき</rt></ruby>、

<ruby>本<rt>ほん</rt></ruby>のにおい、<ruby>図<rt>と</rt></ruby><ruby>書<rt>しょ</rt></ruby><ruby>館<rt>かん</rt></ruby>のにおいを <ruby>思<rt>おも</rt></ruby>い<ruby>出<rt>だ</rt></ruby>しました。

よしひろ

おもいだす

としょかん

そうだ、図書館で はたらこう！
今の 図書館の仕事を 見つけて、
はたらくことが できました。
もう 5年も つづいています。

よしひろ

はたらく

としょかん

午後5時

今日の 仕事が 終わりました。
家に 帰ります。

よしひろ

しごと

おわり

午後5時40分

今日は、給料日です。

祥弘さんは 給料日に

本屋に 行くことに しています。

毎月 かならず

本を1冊 買います。

よしひろ

かいもの

ほん

午後6時

その後 スーパーにも 行って、
ばんごはんの 材料を 買いました。

よしひろ

かいもの

やさい

午後6時25分

帰ったら、すぐ ばんごはんの 準備をします。
野菜を切って、肉をいためて、
お母さんが くれたレシピで、
肉じゃがを つくります。

よしひろ

りょうり

ばんごはんの 準備と いっしょに、
明日の昼の おべんとうも つくります。
いつも、やさいと、たまごと、とり肉。
きん肉を ふやすための メニューです。

よしひろ

りょうり

べんとう

肉じゃがを つくります。
今日は ちょっと 味がうすいかな。
なかなか、お母さんの味に なりません。

よしひろ

おもいだす

おかあさん

午後7時30分

肉じゃがが できました。

料理をしながら、ほうちょうや まな板は

あらっておきました。

食べ終わったら、皿も すぐに あらいます。

よしひろ

たべる

ごはん

午後9時

ごはんの後は シャワーを あびます。
今日 やるべきことを 終えました。

今日 買った本を 開きます。
祥弘さんの いちばん好きな 時間です。

よしひろ

よむ

ほん

すき

午後11時

気^きがついたら、
もう 11 時^じでした。
ねる時間^{じかん}です。

おやすみなさい。

よしひろ

ねる

ご家族や、学校の先生といっしょにお読みください

岩添祥弘さんのこと、暮らしのこと、仕事のこと

祥弘さんのこと

- ●岩添祥弘さん
- ●1989年3月生まれ（31歳）
- ●普通学校卒業（熊本）
- ●知的障害（軽度）・発達障害・双極性障害
- ●好きなことは、読書と散歩など。とくに体を動かすことが楽しい

祥弘さんの暮らし

- ●アパートでひとり暮らし
- ●食事は朝食、夕食は家で。昼食はお弁当
- ●生活費は月8万円（家賃・食費など）
- ●おこづかいは、月1万円
- ●貯金は、月1万円
- ●お金の管理は、自分で

祥弘さんの仕事

- ●株式会社図書館流通センター（TRC）に勤めている。仕事場は北区立中央図書館
- ●今の仕事場で働き出して、5年
- ●雇用保険、社会保険がある

※2020年12月時点

50

●どんな時仕事が楽しいですか？

今、4種類ほどの仕事を担当しています。いつも、この仕事は、何時間で終わらせると計画を立てます。それが、時間通りにできた時です。とても気分がいいです。

●では、仕事がつらい時はありますか。

逆に、自分が立てた時間でおさまらなかった時です。なぜできなかったんだろう。どうして、予想が外れたんだろうと、悔しくてクヨクヨします。

また、図書館の館内で作業をしていると、お客さんに、本のおいてある場所など尋ねられて、すっと答えられない時も、悔しくてつらいです。

●悩んだら、どんな人に相談しますか。

父と友達です。こんなことがあったけれど、どう思う、ふたりならどうします？って、メールで聞きます。ふるさとの熊本にいるので。ふたりの返事で、心が落ち着きます。

●休みの日は、何をして過ごしていますか。

家にいる時は、読書です。外で体を動かすことも大好きだから、散歩にも出かけます。でも、今はコロナ禍が続いているので、なるべく人と接触しないように心がけています。仕事以外での外出をさけています。

●これから、どんな仕事がしたいですか。

この仕事を続けたい。1つ1つの作業を、もっと早く、失敗なく、満足できるような仕事がしたいです。

〈読者のみなさんへ〉
● あなたはこの仕事について、どう思いましたか？
● どこがいちばんおもしろかったですか？
● それはなぜですか？

せきにん者 川橋重之さんの話

●本だけじゃない図書館の楽しみ方

図書館の仕事って何？と聞かれたら、みなさんが真っ先に思いつくのは「本の貸し出しをする仕事」ですね。しかしその他にも、調べものをお手伝いする「レファレンス」、本を内容ごとに整理する「書架整理」など、本の貸し出しに関する業務があります。さらに、おはなし会や子ども向けのイベントを行う「児童サービス」、そして近年はインターネットを使った調べものをお手伝いする「インターネット環境の提供」と多岐にわたります。

●図書館を上手にご利用ください

図書館を上手にご利用いただき、「図書館に来てよかった」と思っていただけるよう、わたしたち図書館スタッフ（司書）はお手伝いしています。岩添さんは、利用者と接することは多くありませんが、多様なサービスを陰で支えています。

●障害は、その人の個性

わたしたちの会社では、障害もその人の個性（特徴）として捉えています。障害者だけでなく、誰にも得手不得手、好調不調はあります。仕事においても、障害についての配慮は行いますが、それ以外の過剰配慮は行わないように心がけています。

また、その人の個性が生かせる業務や持ち前のスキルとを照らし合わせることで、障害者と健常者の別なく「あたりまえ」に働ける職場を目指しています。

●ほんとうに真面目な祥弘さん

祥弘さんは、1つ1つの仕事を丁寧にこなしてくれます。仕事でわからないことがあっても、自分から合図を出してくれるので、間違いが少ない。どんな仕事でも安心して任せることができます。最近では、コンピュータを使った仕事にも取り組んでもらっており、マニュアル片手に奮闘しています。とにかく仕事に取り組む姿勢がたのもしい。

●1つの仕事を任せきりたい

今までは、みんなの仕事を少しずつお手伝いしてもらっていましたが、祥弘さんに、もう一歩前進してもらうことを考えています。誰かのサポートをする仕事から、1つの仕事を完全に任せたい。ひとりでやりきる仕事です。最初は難しいと思いますが、岩添さんは責任感が強いので、必ずやりとげてくれると信じています。そのために、わたしたちも全力でサポートしていきます。

監修者 藤井克徳さんのことば
（かんしゅうしゃ）（ふじ い かつ のり）

きょうされん 専務理事・NPO法人 日本障害者協議会 代表
（せん む り じ）（ほうじん）（に ほんしょうがい しゃきょうぎ かい）（だいひょう）

人間はなぜ働くのでしょう。まっさきに聞こえてきそうなのが、「お金がほしいから」です。たしかに暮らしにはお金がかかります。働く動機に、お金が関係することは間違いなさそうです。でもお金だけでしょうか。いえいえ、そうではありません。お金をかせぐのとあわせて大事なことがあるのです。働くことを通して生きがいを見つけること、職場の人びとと交わったり社会とつながること、生活リズムを整えたり身体を動かして健康を保つことなどがあげられます。これらは、働くことの意味そのものです。

この本の主人公の岩添祥弘さんは驚きです。祥弘さんの働く姿は、ここにあげた働く動機や働く意味を見事なまでに織り込んでいるのです。最近よく使われる言葉に、「ワークライフバランス」があります。この言葉の本当の意味は、単に働くことと生活の時間のバランスをとるだけではなく、「自分らしさ」につながる働き方を求めることです。図書館でのあてにされながらの働きぶり、そして帰宅後のおだやかな時間の流れ、祥弘さんならではのワークライフバランスを創り出しています。まるで、働くことと幸福が1つの線でつながっているようです。この働き方を、暮らし方をずっと大切にしてほしいです。

監修者 野口武悟さんのことば

専修大学 文学部 教授

　本が好き、図書館が好きという人は多いでしょう。そして、図書館で働いてみたいと思う人も。でも、人とやり取りをするのが苦手だから無理かなと不安に思っている人もいるでしょう。本書の主人公である岩添祥弘さんの仕事の様子からわかるように、図書館の仕事には利用者とやり取りをすること以外にもたくさんの作業があります。図書館は、自分の特性にあわせて働くことができる職場の1つといえるでしょう。ぜひチャレンジしてみてください。

　さて、本書は、「仕事」をテーマにしているというだけでなく、LLブックの形態で作られているという特徴があります。LLブックとは、〈読みやすくて、わかりやすい本〉のことです。具体的には、一文を短くしたり、わかち書きをしたり、ピクトグラム（絵記号）をそえたりしています。こうしたLLブックは、今から50年ほど前にスウェーデンで作られ始めました。

　2019年には「読書バリアフリー法」が制定され、障害の有無にかかわらず読書に親しめる環境づくりがすべての図書館に求められています。読書バリアフリーの推進には、図書館で障害のある職員が働くことも、LLブックを整備することも、欠かせません。本書で紹介した内容は、まさに読書バリアフリーの実践例ともいえるのです。

制作スタッフ
【編集企画・文：季刊『コトノネ』編集部】
里見 喜久夫（編集長）
平松 郁（編集者）
【デザイン＆イラスト】
小俣 裕人（季刊『コトノネ』アートディレクター）
【写真撮影】
山本 尚明（カメラマン）

監修
藤井 克徳（きょうされん 専務理事・NPO法人 日本障害者協議会 代表）
働くことの意味や障害のある人の生き方についてアドバイス

監修
野口 武悟（専修大学 文学部 教授）
わかりやすい表現手法についてアドバイス

仕事に行ってきます❿
図書館の仕事
祥弘さんの1日

2021年3月25日 初版第1刷発行

発行者 並木則康

発行所 社会福祉法人埼玉福祉会 出版部

〒352-0023 埼玉県新座市堀ノ内3-7-31

電話 048-481-2188

印刷・製本 恵友印刷株式会社

同時発売！

仕事に行ってきます⑨
物流センターの仕事
右京さんの1日